W9-CRT-933

Musique de Serge Prokofiev

# Pierre et le pialeino

Concept original de Denise Trudel

Conte de Mathieu Boutin
Illustrations : Paule Trudel Bellemare
Narration : Pascale Montpetit
Voix des personnages : Cora Lebuis
Au piano : Denise Trudel

Collection «Conter fleurette»

## Planète rebelle

*Fondée en 1997 par André Lemelin,*
*dirigée par Marie-Fleurette Beaudoin depuis 2002*
7537, rue Saint-Denis, Montréal (Québec) H2R 2E7 CANADA
Téléphone : 514. 278-7375 – Télécopieur : 514. 286-0058
Adresse électronique : info@planeterebelle.qc.ca
www.planeterebelle.qc.ca

Illustrations, page couverture et pages intérieures : Paule Trudel Bellemare
Révision : Janou Gagnon
Correction : Corinne De Vailly
Correction d'épreuves : Diane Trudeau
Conception de la page couverture : Marie-Eve Nadeau
Mise en pages : Marie-Eve Nadeau
Impression : Transcontinental Métrolitho

**Les éditions Planète rebelle** remercient le Conseil des Arts du Canada de l'aide accordée à leur programme de publication, ainsi que la Société de développement des entreprises culturelles du Québec (SODEC) et le « Gouvernement du Québec – Programme de crédit d'impôt pour l'édition de livres – Gestion SODEC ». Planète rebelle remercie également le ministère du Patrimoine canadien du soutien financier octroyé dans le cadre de son « Programme d'aide au développement de l'industrie de l'édition (PADIÉ) ».

Distribution en librairie :
**Diffusion Prologue**, 1650, boul. Lionel-Bertrand
Boisbriand (Québec) J7H 1N7 CANADA
Téléphone : 450. 434-0306 – Télécopieur : 450. 434-2627
www.prologue.ca

Distribution en France :
**DNM – Distribution du Nouveau Monde**, 30, rue Gay-Lussac, 75005 Paris
Téléphone : 01 43 54 49 02 – Télécopieur : 01 43 54 39 15
www.librairieduquebec.fr

Dépôt légal : 3e trimestre 2007
Bibliothèque et Archives nationales du Québec
Bibliothèque et Archives Canada
ISBN : 978-2-922528-73-2

© Planète rebelle 2007
Imprimé au Canada

# Pierre
## et le
## pialeino

Conte de
**MATHIEU BOUTIN**

Illustrations de
**PAULE TRUDEL
BELLEMARE**

Musique de
**SERGE PROKOFIEV**

Au piano
**DENISE TRUDEL**

Planète rebelle

# Parus dans la collection « Conter fleurette »

*Les contes de Petite Souris*
Écrits, racontés et illustrés par Jacinthe Lavoie
Montréal, Planète rebelle, 2007.

*Ti Pinge*
Écrit et raconté par Joujou Turenne
Illustré par Karen Hibbard
Traduit en anglais par Kathleen Fee
Montréal, Planète rebelle, 2006.

*Arthur la Carotte et le rêve magique*
Conte de Georges Raby
Illustré par Guth Des Prez
Raconté par François Lavallée
Montréal, Planète rebelle, 2006.

*Contes de l'ours*
Racontés par Nicole Filiatrault
Illustrés par Alexandre Girard
Montréal, Planète rebelle, 2005.

*L'envolée fantastique*
Adaptée et racontée par Marc Laberge
Illustrée par Guth Des Prez
Montréal, Planète rebelle, 2005.

*Histoires horrifiques*
Racontées par Lorette Andersen
Illustrées par Éloïse Brodeur
Montréal, Planète rebelle, 2005.

*Contes traditionnels du Canada*
Adaptés par Pascale Desbois, racontés par Stéphanie Vecchio
Illustrés par Frédérique Lafortune
Une idée originale de Guylaine Picard, Radio Canada International
Montréal, Planète rebelle, 2003.

*Gourmandises et diableries*
Contes adaptés et racontés par Renée Robitaille
Illustrés par Éloïse Brodeur
Montréal, Planète rebelle, 2003.

# Table des matières

**1** Le matin · · · · · · · · · · · · · · · · · · · · · · · · · 7

**2** Promenade · · · · · · · · · · · · · · · · · · · · · 11

**3** Historiette · · · · · · · · · · · · · · · · · · · · · · 15

**4** Tarentelle · · · · · · · · · · · · · · · · · · · · · · 23

**5** Repentir · · · · · · · · · · · · · · · · · · · · · · · · 27

**6** Valse · · · · · · · · · · · · · · · · · · · · · · · · · · · 31

**7** Le cortège des sauterelles · · · · · · · · · · 35

**8** La pluie et l'arc-en-ciel · · · · · · · · · · · · 39

**9** Attrape-qui-peut · · · · · · · · · · · · · · · · · 43

**10** Marche · · · · · · · · · · · · · · · · · · · · · · · · · · 49

**11** Soir · · · · · · · · · · · · · · · · · · · · · · · · · · · · · 53

**12** Sur les prés la lune se promène · · · · · · · · · · 57

Les notices biographiques · · · · · · · · · · · · · · · 62

À leur réveil, ce matin-là, une bande de petits oiseaux de mer assis sur la plage aperçurent un étrange animal étendu de tout son long sur le sable. Les oiseaux – des mouettes – n'avaient jamais vu pareille créature et se demandaient bien de quoi il s'agissait. Était-ce un poisson ? Une baleine égarée qui avait échoué là ? Les oiseaux décidèrent de rester silencieux et attentifs, dans l'espoir d'en apprendre davantage sur ce mystérieux visiteur.

Le gros poisson fut bientôt réveillé par la chaleur des premiers rayons de soleil qui caressaient son épaisse peau noire et lisse.
— Tiens ! Qu'est-ce que je fais ici, hors de l'eau ?

L'énorme bête, aveuglée par le soleil, avait peine à voir autour d'elle.
— Où sont les baleines, mes frères et mes sœurs ? Ce n'est pas normal. Il faut que j'aille vite les retrouver !

Le pialeino – car c'était le nom de cette mystérieuse créature – tenta d'avancer pour regagner l'océan, mais sans succès. Dépourvu de pattes, et à bout de forces, le pialeino constata avec désespoir qu'il était incapable de déplacer sa lourde masse.

— Oh non ! On dirait que je ne peux plus retourner à la mer ! J'ai échoué sur cette plage ! Une baleine échouée, c'est pathétique. Un pialeino échoué, ça l'est encore plus. Qu'est-ce que je vais devenir ?

Le pialeino essaya encore de bouger, sans résultat.

Les mouettes auraient bien voulu venir en aide à cette drôle de baleine, mais elles étaient beaucoup trop petites. Elles se seraient vite fait écraser par le cétacé.

Découragé, le pialeino poussa un long soupir, suivi d'un demi-soupir.

— Je sais très bien ce que je vais devenir. Si je ne regagne pas le large bientôt, je vais mourir ici, tout séché. Finie, pour moi, la musique.

Il tenta d'appeler au secours.

— Houhou ! Il y a quelqu'un ? Houhou ! Personne. Il n'y a que ces petits oiseaux de mer qui me regardent avec un drôle d'air. Et même s'il y avait quelqu'un... Je sais trop bien que ce n'est pas n'importe qui qui saurait me redonner ma liberté. Quel malheur m'arrive-t-il encore... ? Je me sens si faible. Je sens que je vais m'évanouir...

Plus loin sur la plage, de l'autre côté de la dune, un petit garçon jouait nonchalamment avec un ballon rouge.

Le petit garçon s'appelait Pierre et il n'avait pas l'air de s'amuser beaucoup.
— Quelles vacances… ! Je me demande vraiment pourquoi mes parents m'ont envoyé au bord de la mer avec mon oncle Julien et ma tante Juliette. Ils ne s'occupent jamais de moi. En fait, quand ils s'occupent de moi, c'est toujours pour me disputer ou pour me donner des ordres.
Tout en lançant son ballon en l'air, Pierre imitait les voix nasillardes de son oncle et de sa tante :
— *Pierre, va me chercher la crème solaire, mais essuie-toi les pieds avant de rentrer !* Et, en plus, il faut que je lui étende la crème sur le dos, à tante Juliette. Et elle est grosse, tante Juliette, alors ça prend beaucoup de crème et ça fatigue le bras ! rouspétait le petit garçon.

— *Pierre, va chercher une autre bière pour ton oncle Julien, et dépêche-toi ! Mais surtout, ne cours pas !* Je ne sais pas si vous avez déjà essayé, mais c'est très difficile de se dépêcher en marchant lentement ! *Pierre, viens ici, va là-bas, arrête ce bruit, va jouer dehors avec ce ballon…* Je veux bien jouer dehors, mais il n'y a personne ici avec qui jouer…

Le petit garçon s'immobilisa un instant pour contempler l'océan, le ballon sous le bras.

— Et la mer... C'est joli, la mer, mais je ne sais même pas nager et, en plus, j'ai peur de l'eau...

Pierre donna un coup de pied dans son ballon et courut jusque de l'autre côté de la dune pour le rattraper.

Le ballon avait roulé jusqu'au pialeino, mais Pierre n'aperçut pas tout de suite la bête échouée.

En reprenant son ballon, Pierre huma l'air un instant.

— Snif, snif... Dis donc, ça sent drôlement le poisson, ici. Yark !

— Oh ! Qu'est-ce que c'est que ce gros machin tout noir ? On dirait une baleine échouée !

Pierre longea l'animal et l'examina attentivement.
— C'est gros, c'est noir, c'est long. Voici la queue. Allons voir devant... Elle est morte ?
Et ça, c'est la bouche ? Est-ce qu'elle va me mordre ?

Prudemment, Pierre entrouvrit la bouche de la bête évanouie.
— C'est étrange, je croyais que les baleines avaient des fanons. Celle-ci a des dents,
blanches et noires.
Il toucha une des dents, ce qui produisit un son.

Il sursauta en retirant rapidement sa main.

Intrigué, Pierre s'approcha de nouveau et toucha une autre dent, puis une autre, qui produisirent le même joli son.
— Ce n'est pas une baleine, on dirait un piano ! Je le sais, tante Juliette en a un chez elle, en ville. Mais le sien est bien plus petit !

En revenant à lui, le pialeino émit un bruyant accord mineur : « Brooum ! »

Pierre fut si surpris qu'il en tomba par terre.
— Tu as bientôt fini de m'examiner les dents ? rugit le pialeino.

Toujours par terre, Pierre recula davantage.
— Tu... Tu parles ?

Heureux d'avoir enfin de la compagnie, le pialeino se ravisa et devint vite plus conciliant.
— Oh ! Je parle très peu, en vérité. Si tu me comprends, c'est sans doute que tu as une très bonne oreille, répondit le pialeino.
— Une oreille ? J'en ai même deux, regarde !
— Quelle chance ! On dit que les musiciens ont beaucoup d'oreille. Et toi, tu en as deux ! Tu dois être un excellent musicien ! Alors, tu vas pouvoir me sortir d'ici ! Comment t'appelles-tu ? Tu es pianiste ?

— Je m'appelle Pierre et je ne suis pas du tout pianiste. Je n'ai aucun talent pour la musique. Et puis, je suis bien trop jeune !

— Comment ça, aucun talent ? Qu'est-ce que tu en sais ? Tu as déjà essayé de jouer du piano ?

— Non, mais ç'a l'air si difficile. Toutes ces dents... Je veux dire, toutes ces touches.

— Évidemment que c'est difficile ! Ça ne veut pas dire que tu n'es pas capable !

— Je ne saurais jamais...

— Tu te décourages toujours aussi facilement ? Bravo ! C'est bien ma chance, j'ai échoué, j'ai besoin d'aide et je tombe sur un petit garçon peureux.

— Tu as échoué ? Alors, tu es une baleine ! C'était donc bien ça, l'odeur de poisson...

— Je ne suis pas une baleine. Je suis, comment t'expliquer... Je suis une espèce de piano-baleine, un pialeino.

— Un pialeino ? C'est la première fois que j'entends ça.

— Ça m'étonne. Tu connais pourtant les baleines ?

— Oui, un peu. On en a parlé à l'école et j'en ai vu souvent à la télévision.

— Alors, tu as déjà entendu parler du chant des baleines, n'est-ce pas ? C'est comme ça qu'elles communiquent entre elles.

— Oui, j'en ai déjà entendu parler. Même que leur chant peut voyager d'un bout à l'autre de l'océan.

— C'est vrai. Mais, tu sais, elles ne chantent pas toujours toutes seules. Elles sont parfois accompagnées au piano, par nous, les pialeinos. Ça fait beaucoup plus joli. D'ailleurs, je ne suis pas tout seul, il y a plein de musique dans la mer : les raies, les SOLes, les DO-phins, les poissons-SI, les crabes-violonistes, les timbales aux fruits de mer, les thons, les demi-thons... Tout un orchestre !

Pierre n'était pas sûr de comprendre tout ce que le pialeino lui racontait. Tout ça semblait si nouveau, si surprenant.

— Mais comment t'es-tu retrouvé ici ?

Le pialeino poussa un autre demi-soupir.

— J'ai dû m'endormir en écoutant le chant des baleines. Le courant m'aura entraîné jusqu'ici. Quand je me suis réveillé, j'étais étendu sur cette plage, incapable de retourner à l'eau.

— Tu veux que je te pousse ?

— Tu peux bien essayer, mais je crains que tu ne sois pas assez costaud.

Pierre se leva et tenta de pousser le pialeino de toutes ses forces.

— Han ! Tu es bien lourd !

— Je te l'avais dit, c'est inutile. Ça prendrait un tracteur... ou un pianiste.

— Pourquoi un pianiste ? Ils sont forts, les pianistes ?

— Ils sont très forts, les pianistes ! Tu vois, Pierre, dans l'eau, je suis dans mon élément, et je peux faire de la musique tout seul ou avec les baleines. Mais ici, sur cette plage, c'est comme si on m'avait enlevé tous mes moyens. Si je ne fais pas bientôt de la musique, je crois bien que je vais mourir. C'est à peine si je peux encore faire un son tout seul... Écoute.

Le pialeino poussa un petit mi bémol, dans l'aigu.

— Si un vrai pianiste pouvait jouer de la vraie musique avec moi, je deviendrais tout léger et je pourrais retourner à la mer.

Pierre se frappa soudain le front.

— Mais j'y pense ! Tante Juliette a un piano chez elle ! Je ne l'ai jamais entendue en jouer, mais je suis certain que c'est une pianiste !

— Et elle est où, cette tante Juliette ?

— Elle est tout près, dans la maison là-bas, de l'autre côté de la dune.

— Alors vas-y, dépêche-toi, va la chercher. C'est le seul moyen de me sauver ! Cours, Pierre, cours !

Ce n'était pas facile de courir vite dans le sable mou qui recouvrait la grande dune,
mais Pierre se trouva bientôt de l'autre côté et il pouvait déjà apercevoir la maison.
— Oncle Julien ! Tante Juliette ! Venez vite ! criait Pierre en courant.

Il ne vit personne sur la plage, ni devant la maison. Il courut encore jusqu'à la porte
et entra en criant, à bout de souffle :
— Tante... Tante Juliette ! Oncle Ju... Julien ! Venez vite ! Il y a une balei... non, un pia...
un pialeino ! Il a échoué sur la plage ! Il faut un pianiste !
La maison semblait vide.

Pierre alla dans la cuisine, dans le salon, dans la salle de bains... Pas un son. Personne.
— Tante Juliette ! Le pialeino ! Vite ! Sur la plage !

Pierre entendit des pas précipités, puis une porte s'ouvrir brusquement à l'étage.

— Qu'est-ce que c'est que ce vacarme, encore ? tonna l'oncle Julien.

— Mon oncle ! Il faut prévenir tante Juliette, il faut qu'elle vienne jouer du piano sur la plage ! Le pialeino va mourir !

L'oncle Julien ne semblait pas content du tout.

— Qu'est-ce que c'est encore que ces histoires ? Veux-tu bien laisser ta tante se reposer ?

— Mais...

Pierre entendit la voix de sa tante qui venait du fond de la chambre.

— Pierre, si tu n'es pas sage, nous le dirons à tes parents ! Va jouer dehors plutôt que de nous déranger avec tes inventions !

— Ce n'est pas une invention, protesta Pierre, c'est le pialeino, il a besoin...

— Arrête immédiatement. Sois un bon garçon et range la vaisselle du déjeuner pendant qu'on fait la sieste. Ta tante a très mal à la tête et moi aussi. On t'appellera quand on aura besoin de toi. C'est compris ?

— Compris ! lança Pierre. Et il sortit de la maison en claquant la porte.

Pierre reprit lentement le chemin de la dune pour aller retrouver le pialeino. Il avait couru de toutes ses forces pour se rendre à la maison tout à l'heure, mais, cette fois-ci, en sens inverse, il traînait les pieds. Il aurait tellement voulu convaincre sa tante de venir sauver le pialeino. Mais il avait failli à la tâche.

— Je n'aurais peut-être pas dû crier comme ça et courir dans la maison. Je sais bien que mon oncle et ma tante détestent ça. Les voilà fâchés contre moi. Ils ne viendront pas au secours du pialeino maintenant, c'est certain. Que va-t-il devenir ?

Pierre arrivait au sommet de la dune maintenant, et de ce point, il pouvait voir la masse inerte du pialeino qui cuisait sous le soleil.

— Pauvre pialeino ! Qu'est-ce que je vais pouvoir lui dire ?

Le pialeino le vit arriver du coin de l'œil.

— Tu n'as pas l'air très content. Ta tante va-t-elle venir ? Tu as trouvé un pianiste ? lui demanda-t-il faiblement.

Pierre ne put répondre. Il fit signe que non, embarrassé, les yeux rivés sur ses orteils ensablés.

Une larme coula le long de l'immense joue de la bête.
— Tu pleures ? demanda Pierre.
— Ce n'est pas grave, soupira le pialeino. J'ai eu une belle vie. J'ai fait beaucoup de musique...
— Et maintenant ?
— Et maintenant, je vais mourir. Tu veux bien rester avec moi ?

Pierre fit quelques pas jusqu'à la mer. Il y puisa un peu d'eau dans ses mains jointes et revint asperger le front du pialeino, d'une caresse.
— Bien sûr que je vais rester avec toi, dit Pierre en s'asseyant tout près de son nouvel ami.
— Merci, tu es gentil.

Les mouettes assistaient à la scène, impuissantes et tristes. Les deux amis, perdus dans leurs pensées, contemplaient la mer, si vaste, si proche et pourtant si loin.

Au bout d'un moment, Pierre tenta de distraire le pialeino en lui posant des questions.

— Ça va ? Tu veux que je t'apporte de l'eau encore ?

— Non, ça va.

— Ça ne te fatigue pas trop de parler ?

— Non, pour le moment, je suis seulement content que tu sois là avec moi.

— Parle-moi de la musique, encore. Quelle sorte de musique joues-tu ?

— De la musique pour piano.

— Pas de la musique pour pialeino ?

— C'est la même chose. Regarde-moi un instant, tu vois mes dents ? J'en ai quatre-vingt-huit. La plus basse, au fond là-bas, c'est un LA. Vas-y, appuie.

Pierre appuya sur la dent en question.

— C'est une dent très grave, remarqua Pierre.

— En effet, quand j'ai mal à cette dent-là, habituellement, c'est grave.

— Et la dernière, à droite, là-bas ?

— C'est un DO. Appuie encore, n'aie pas peur.

Pierre appuya sur la dent.

— C'est aigu !

— Oui, quand j'ai un mal de dents de ce côté-là de la bouche, c'est toujours très aigu.

— Et les dents noires, presque partout entre les blanches, qu'est-ce que c'est ?

— Ça ? Ce sont des dents qui font un son un demi-ton plus haut ou plus bas que la touche blanche qu'il y a à côté.

— Je peux essayer ?

— Vas-y, ne te gêne pas.

Pierre toucha toutes les notes noires.

— Ça fait chinois !

— C'est vrai que ça fait chinois ! Tu as raison, je n'avais jamais remarqué !

— Tu peux me jouer quelque chose ?

— J'ai bien peur que non. Si j'étais dans l'eau, je te jouerais plein de belles choses. Des sonates, des concertos, des pièces romantiques, des pièces joyeuses. Il y a même des pièces écrites pour les enfants, comme toi. Elles sont plus faciles à jouer et très agréables à entendre, si tu savais... Ici, je suis beaucoup trop faible. Il faudrait qu'un pianiste joue sur mes touches ou, si tu préfères, sur mes dents, pour que je reprenne des forces.

Pierre réfléchit un instant.

— Tu as bien dit que je pourrais apprendre à jouer du piano ? Que je suis même peut-être doué ?

Une lueur d'espoir parcourut le regard du pialeino.

— Combien d'oreilles as-tu dit que tu avais, déjà ?

— Deux.

— Et de mains ?

— Deux aussi.

— Et de doigts ?

— Dix !

— Trois dans une main et sept dans l'autre ?

— Non, non, regarde, cinq plus cinq ! Dix !

— Bon, tu sais compter ?

— Oui, jusqu'à mille, je crois bien.

— Tu sais lire ?

— Pas la musique.

— Non, mais tu sais lire...

— Oui !

— Alors, si tu as appris à lire les lettres et les mots, rien ne t'empêche d'apprendre à lire les notes et la musique.

— Tu crois ? Maintenant ?

— Pourquoi pas ? Essayons ! Nous n'avons rien à perdre et tout à gagner !

**7**  Le cortège des sauterelles

— Bon, fit le pialeino. Première leçon : le rythme !

— Le rythme ?

— Oui, il faut voir si tu peux tenir la cadence !

— Mais comment ?

Le pialeino jeta un coup d'œil par terre et remarqua des sauterelles qui se frayaient un chemin sur la plage.

— Tu vois ces sauterelles ?

Pierre regarda autour de lui.

— Quelles sauterelles ? Je ne vois rien !

— Regarde mieux ! Là, à côté de ce coquillage, c'est tout un cortège de sauterelles qui cherche de la nourriture !

Pierre les aperçut enfin.

— Ah ! Oui ! Et alors ?

— Alors, tu vois comme elles avancent ? Parfois, elles sont pressées et vont plus vite. Parfois, elles s'attardent et vont plus lentement.

Pierre se demandait où le pialeino voulait bien en venir avec ses *bibites*.

— Han, han ?

— Alors, tu sais compter jusqu'à quatre, tu m'as dit ?

— Oui, au moins.

— Bon, observe bien ces sauterelles et je veux que tu comptes en quatre le rythme de leur progression. C'est ce qu'on appelle battre la mesure.

Pierre se pencha pour mieux suivre les sauterelles du regard et se mit à compter.

— Un, deux, trois, quatre. Un, deux, trois, quatre... Je comprends ! Un, deux, trois, quatre. Un, deux, trois, quatre... Oh, elles vont vite, dis donc !

— Suis bien !

— Un, deux, trois... Oh, elles ralentissent, trois, quatre ! Un, deux, trois... C'est difficile !

— C'est bien, continue ! l'encouragea le pialeino.

— ... quatre. Un, deux... C'est difficile !

— Non, non, ça va très bien. Suis le rythme !

— Un, deux, trois, quatre. Un, deux, trois, quatre. Un, deux, trois, quatre. Un, deux, trois, quatre. Un, deux, trois, quatre... Elles vont plus vite maintenant ! Un, deux, trois, quatre. Un, deux, trois, quatre...

— Continue ! Bravo !

Les sauterelles s'engouffrèrent finalement toutes sous une bûche.

— Ouf! Dis donc, ce n'est pas si facile de tenir le rythme !

— Tu t'es très bien débrouillé. On peut passer à la prochaine leçon.

— Et qu'est-ce que c'est ?

Le pialeino ne répondit pas tout de suite. Il semblait distrait par quelque chose au-dessus de sa tête.

— Alors ? demanda Pierre, en trépignant d'impatience. Dis-moi, quelle est la deuxième leçon ?

— Attends, chuchota le pialeino. Regarde. Les nuages...

Pierre regarda au ciel et aperçut des nuages sombres et menaçants qui avançaient vers la plage.

— Bien oui, des nuages...

Il réfléchit un instant.

— Oh ! Je comprends ! Si ce sont des nuages de pluie...

— Oui, si ce sont des nuages de pluie et que l'averse est suffisamment forte et longue, peut-être qu'il tombera assez d'eau ici pour que je puisse retourner à la mer !

— Tu crois ?

— Il faut espérer... dit le pialeino, les yeux rivés sur les nuages.

Il tomba une petite goutte de pluie sur la tête de Pierre, puis une autre sur le dos du pialeino.

Les deux amis restèrent ainsi figés dans l'attente un long instant. La tête en l'air, les yeux fermés. Pierre implorait silencieusement le ciel pour qu'il envoie d'autres gouttes lui mouiller le front et sauver son ami.

Mais les gouttes ne venaient pas.
— Laisse tomber, Pierre. Regarde… interrompit le pialeino.
Pierre ouvrit les yeux. Les nuages s'étaient déjà éloignés. L'averse tombait plus loin, sur la mer.

À travers les nuages, le soleil réapparut de nouveau et projeta un éventail de couleurs au-dessus de la dune. Pierre en fut tout ébloui.
— Oh ! Comme c'est joli ! Un arc-en-ciel !
— Très joli, en effet, rouspéta le pialeino. Mais ce n'est pas du tout ce qu'il nous faut en ce moment. J'avoue que j'aurais préféré un orage.
— Ne désespère pas, pialeino, dit Pierre. Il n'y aura peut-être pas d'orage, mais je suis prêt pour ma deuxième leçon. J'ai deux oreilles, dix doigts et je sais tenir le rythme ! Continue à m'enseigner comment jouer sur tes notes et je serai peut-être capable de te sortir d'ici !

Le pialeino n'avait pas l'air convaincu.
— Tu sais, Pierre, lui dit-il, on ne peut pas vraiment apprendre à jouer le piano en une seule journée. Ça prend beaucoup plus de temps que ça. Il faut faire des gammes, des exercices, même si tu es très doué.
— On peut quand même essayer ! protesta Pierre.

Le pialeino était découragé. Lui qui avait été si heureux à faire de la musique, hier encore, avec les baleines et toutes les autres créatures musicales de l'océan. Et voilà qu'il en était réduit à enseigner les rudiments du piano à un petit garçon pour sauver sa vie, car il était trop faible. Quelle tristesse !

La musique, ce n'était pourtant pas si difficile. Avant tout, il fallait avoir envie de s'exprimer. La joie, la peine, toutes ces émotions que les mots parfois ne réussissent pas à rendre complètement. Pour le pialeino, la musique, c'était son souffle, sa vie. Sans elle, il ne pourrait plus vivre très longtemps, il le savait bien. C'était trop bête. Il devait pourtant bien y avoir un moyen.
— Tu abandonnes ? lui demanda Pierre.
— Non, je réfléchis.
— À quoi ?

Le pialeino jeta un coup d'œil aux petites mouettes qui les regardaient toujours si attentivement.

— Tu vois ces oiseaux, Pierre ?

Pierre tourna la tête vers les petits spectateurs.

— Bien sûr, que je les vois.

— Tu sais ce que sont ces oiseaux ?

Pierre les regarda plus attentivement.

— Je ne sais pas. Des mouettes ?

— Oui. Sans doute. Mais ce ne sont pas n'importe quelle sorte de mouettes.

— Ah ! Non ?

— Non. Tu as déjà entendu parler des oiseaux migrateurs ?

— Oui, évidemment. Ce sont ces oiseaux qui parcourent de grandes distances d'une saison à l'autre.

— En effet. Cependant, je ne suis pas certain, mais je crois bien que ces oiseaux-ci ne sont pas que des oiseaux migrateurs. Je crois qu'il s'agit d'oiseaux do-ré-migrateurs.

— Do-ré-migrateurs ?

— Oui. Do-ré-migrateurs. Ce sont des oiseaux musiciens ! Tous les oiseaux savent chanter dès leur naissance, n'est-ce pas ?

— C'est vrai.

— Eh bien, ceux-là, les oiseaux do-ré-migrateurs, ils ne savent pas que chanter, ils sont doués pour tous les instruments. Ils ne le savent pas toujours, mais ils ont plein de talent pour la musique. Regarde-les ! Toutes leurs plumes sont remplies de notes !

— Tu crois ?

— Oui, je le crois. Écoute-moi bien, Pierre. C'est peut-être notre seule chance. Va parler à ces oiseaux et demande-leur de se lever et de battre des ailes durant une minute.

— Une minute ?

— Oui, durant une minute, il faut qu'ils battent des ailes vers toi.
Comme ça, toute leur musique, toutes leurs notes viendront vers toi.

— Et alors ?

— Et alors toi, il faut que tu tentes d'attraper le plus de notes possible !
Si ça fonctionne comme je le souhaite, tu seras bientôt pianiste et tu
pourras me libérer. Vas-y ! Vas-y maintenant !

Pierre ne comprenait pas trop, mais il s'avança tout de même vers les
petites mouettes qui les regardaient.

— Bonjour, les mouettes, commença-t-il. Vous avez entendu ce que le
pialeino a dit ? Alors, s'il vous plaît, à mon signal, levez-vous et battez
des ailes dans ma direction, très vite. Moi, je tenterai d'attraper vos
notes, d'accord ?

Les mouettes semblèrent d'accord.

— Très bien. À mon signal : un, deux, trois, partez !

Les mouettes se levèrent d'un coup sec et se mirent à battre des ailes
très vite. Une musique très rapide et dense s'éleva autour de Pierre.
Toutes les notes qui étaient dans les ailes des mouettes s'envolèrent.
Pierre courait dans une direction, puis dans l'autre, à toute vitesse.
Il sautait, il se penchait, en tentant d'attraper toutes les notes et toute
la musique qui venaient vers lui.

Au bout d'une minute,
la musique cessa. Les
oiseaux arrêtèrent auss
de battre des ailes et
reprirent leur place, ass
sagement sur la plage,
comme si rien ne s'était
passé. Pierre, tout essou
était encore à ramasser
notes qui traînaient pa
terre autour de lui.

— Pierre ! Pierre ! Viens
maintenant, et répète a
moi, ordonna le pialeir

Pierre accourut, les mains et les poches pleines de notes.

— Je connais tous les dièses ! s'exclama le pialeino. Répète !

— Je connais tous les dièses ! répéta Pierre.

— Fa-do-sol-ré-la-mi-si ! récita le pialeino. Répète !

— Fa-do-sol-ré-la-mi-si ! répéta Pierre.

— Je connais tous les bémols ! dit le pialeino.

— Je connais tous les bémols ! reprit Pierre.

— Si-mi-la-ré-sol-do-fa !

— Si-mi-la-ré-sol-do-fa !

— C'est bon, dit le pialeino. Maintenant, dis-le avec les oiseaux.

— Avec les oiseaux ?

— Allez, les oiseaux. Aidez notre ami Pierre : Je connais tous les dièses !

Les oiseaux et Pierre répétèrent en chœur.

— Fa-do-sol-ré-la-mi-si !

— Fa-do-sol-ré-la-mi-si ! crièrent les oiseaux et Pierre.

— Je connais tous les bémols ! dit le pialeino.

— Je connais tous les bémols !

— Si-mi-la-ré-sol-do-fa !

— Si-mi-la-ré-sol-do-fa !

— Merci, les oiseaux. Merci. Maintenant, laissez-moi une minute avec Pierre. Il faut que je lui parle.

Pierre tourna le dos aux oiseaux et s'approcha du pialeino qui lui chuchota des choses à l'oreille que seul Pierre put entendre.

— Que va-t-il se passer ? se demandaient toutes les petites mouettes do-ré-migratrices.

Pierre et le pialeno étaient entrés en conciliabule. Pierre était très concentré et semblait obéir aux ordres de son ami. Parfois, le petit garçon touchait une dent du pialeino et faisait silencieusement « non » de la tête. Il en touchait quelques autres et s'exclamait « Comme ça ? » Puis il reprenait l'exercice. Ils discutèrent et travaillèrent ainsi durant un long moment, jusqu'à ce que le pialeino annonce enfin la fin de l'exercice.

— Ça ira ! Essayons !

— Tu crois que je pourrai ? hésita Pierre.

— Pour le moment, rappelle-toi que ce n'est qu'une répétition, un exercice de réchauffement pour tout à l'heure. Souviens-toi seulement de ce que je t'ai appris. Tu sais où est le do aigu ?

Pierre passa rapidement en revue la dentition du pialeino.

— Oui, celle-ci.

— Et le la ?

Pierre examina encore les dents blanches et noires du pialeino.

— Oui, oui, ici ! fit-il en touchant la note.

— Tu te souviens du rythme ?

— Oui. Ça ira, je te le promets.

— Bon. Je ne veux pas faire pression sur toi, Pierre. Mais tu sais que je consacre mes dernières énergies à cet exercice. Si tu te trompes, je n'aurai plus la force de continuer et je mourrai, tu en es bien conscient ?

— Oui, je sais.

— J'ai confiance en toi, Pierre. Alors, en avant, marche ! s'exclama le pialeino, qui continuait de donner des ordres tout en jouant une musique très rythmée. Tu es prêt ? Ta note s'en vient ! prévint le pialeino, qui jouait toujours.

Pierre s'exécuta, enfonçant de son index à quatre reprises la note qu'il devait jouer, juste à temps.

— Comme ça ? demanda Pierre, par-dessus la musique.

— C'est parfait ! Continue. Ça s'en vient !

Encore une fois, la même phrase musicale se fit entendre et Pierre toucha les bonnes notes au bon moment.

— Parfait ! s'exclama le pialeino. Maintenant, tu sais ce qui suit ?

— Oui, oui ! Le la, le la ! chantait déjà Pierre.

Pierre joua le la exactement au bon endroit et de la bonne façon, ajoutant une note harmonieuse et opportune à ce que le pialeino jouait déjà.

— Formidable ! Bravo ! Je sens mes énergies revenir ! s'exclama le pialeino. Attention, es-tu prêt pour la finale ?

— Oui, je suis prêt !

Pierre était à ce point sûr de lui qu'il put jouer seul les derniers accords de cette joyeuse marche avec les deux mains.

C'était si réussi que les mouettes, qui assistaient à la scène, ne purent s'empêcher d'applaudir de toutes leurs ailes.
— Bravo, Pierre ! C'était magnifique ! Tu as su jouer toutes les bonnes notes et en mesure, en plus !
— C'est vrai ! J'avais un peu peur, mais la musique était tellement entraînante ! Je ne pensais plus à rien, je ne faisais que répéter ce que tu m'avais enseigné, je ne faisais que jouer !
— Alors tu es prêt ? dit le pialeino, solennellement.

La journée tirait à sa fin. Le soleil avait déjà revêtu son pyjama orange et il était sur le point de disparaître sous les couvertures de la mer.

— Il va falloir faire vite, maintenant, dit le pialeino. Tu sais ce que tu as à faire ?

— Oui, je crois bien. Mais j'ai peur de ne pas en être capable.

— Ne t'en fais pas. Tu as appris beaucoup de choses aujourd'hui. Te voilà en bonne voie de devenir un vrai pianiste.

— Je ne le suis pas encore ?

— Non, pas encore. Tu devras prendre des leçons et travailler tous les jours si tu veux devenir un vrai pianiste. Pour le moment, cependant, grâce aux notes que t'ont données ces petits oiseaux, tu sauras jouer avec moi la petite pièce que je t'ai apprise pour que je puisse retourner à la mer. Mais il faut le faire avant que la nuit tombe...

— Je ne te reverrai donc jamais ? Ne sommes-nous pas devenus des amis ?

— Bien sûr que nous sommes des amis. Sans toi, et sans ces gentils oiseaux, je serais certainement mort. Rappelle-toi que chaque fois que tu joueras du piano, je serai là, avec toi.

— Bon. Alors, je suis prêt.

— Très bien. Allons-y...

Le pialeino commença à jouer une jolie musique, très douce. Pierre se tenait devant les dents blanches et noires et attendait le moment de son entrée. Lorsque le moment vint, Pierre joua quelques notes, qui complétaient celles que jouait déjà le pialeino. La belle musique s'élevait devant le soleil couchant.

— Ça y est ! dit le pialeino, tout en jouant. Ça fonctionne, regarde, écoute, j'avance !

En effet, le pialeino semblait s'alléger et se diriger tranquillement vers la mer.

— N'arrête pas de jouer, Pierre, continue !

Pierre avança doucement, ses doigts jouant toujours sur les notes du pialeino.

— Pas trop vite, dit Pierre, je ne pourrai pas suivre !

Le pialeino poursuivait son chemin, accompagné par Pierre.

— Je suis presque dans l'eau, Pierre, je suis presque dans l'eau ! Continue encore !

Pierre tenta encore de suivre un moment, mais ses pieds touchaient déjà la mer.

— Je ne sais pas nager, pialeino, je ne pourrai pas continuer...

Ce n'était plus nécessaire. Le pialeino était libre maintenant et nageait dans la mer. Pierre pouvait encore entendre la musique, mais il faisait nuit.

Il resta un moment immobile à contempler la noirceur de l'océan.

— Pialeino ! Pialeino ! Où es-tu ?

Il n'entendit que le bruit des vagues pour toute réponse.

## 12     Sur les prés la lune se promène

— Quel bonheur ! Je suis libre !

Le pialeino goûtait enfin la fraîcheur de l'océan, comme un aveugle qui retrouve la lumière, la mère son enfant, la main ses doigts.

Il nagea aussi loin que son souffle le lui permettait, savourant chacune des vagues, chacune des délicieuses gouttes qui lui glissaient sur le corps.

Poussé par l'élan de sa nouvelle liberté, il ne tarda pas à rejoindre ses frères et ses sœurs qui étaient à sa recherche.
— Te voilà enfin ! dit l'un d'eux. On ne t'entendait plus ! Nous étions très inquiets !
— J'ai échoué sur la plage ! Et j'ai passé toute la journée sur cette plage, là-bas...
— Tu avais échoué ?
— Oui, j'ai cru que j'allais mourir... Mais on m'a sauvé !
— C'est la lune qui a veillé sur toi, elle qui contrôle toutes les marées de tous les océans ! intervint son grand-père, un très grand et très vieux pialeino à queue.

— Non, ce n'est pas la lune, j'ai été sauvé par un petit garçon.

— Un petit garçon ?

— Oui, il s'appelle Pierre.

— C'est un pianiste ?

— Pas encore, mais je crois bien qu'il le sera un jour.

— Comment le sais-tu ?

— Il a deux oreilles, dix doigts, il sait tenir le rythme, il connaît tous les dièses et tous les bémols !

— Quelle chance tu as eue ! s'exclamèrent les sœurs du pialeino.

— Oui, quelle chance, en effet !

— C'est bien, mais viens vite, les baleines font déjà des vocalises, elles nous réclament ! dit son frère, un petit pialeino droit.

— Attendez-moi encore une minute, j'arrive tout de suite.

Le pialeino nagea vigoureusement vers la surface, émergeant de la mer sombre et silencieuse pour respirer un instant.

Au loin, le clair de lune se promenait, caressant de sa douce lumière les herbes hautes froissées par le vent, qui entouraient la maison sur la dune.

Une mouette vint se poser sur les flots, non loin de l'endroit où le pialeino était venu respirer.

— Toi ! Viens ici, dit le pialeino.

La mouette n'eut qu'à faire deux battements d'ailes pour le rejoindre.
— C'est bon. Tu vois la maison, là-bas ? Écoute bien...

Le pialeino dit quelques mots à l'oreille de la mouette, puis retourna prestement au fond de la mer, rejoindre le concert qui se préparait.

De la fenêtre de sa chambre, Pierre contemplait l'océan immense.

— Il aurait au moins pu me dire au revoir... soupira-t-il.

Fatigué par sa journée, et un peu triste, Pierre se glissa enfin sous les couvertures.

Juste avant de s'endormir, il se rappela les mots de son ami : « Chaque fois que tu joueras du piano, je serai là, avec toi. »

Cette nuit-là, Pierre fit un beau rêve. Sur une scène, il jouait du piano. Dans les coulisses, des oiseaux l'applaudissaient. Dans la salle, son père, sa mère, son oncle et sa tante l'acclamaient, tellement la musique qu'il jouait était belle.

Devant la fenêtre de la chambre où Pierre dormait, des mouettes do-ré-migratrices battaient des ailes.

Dans l'air de la nuit flottait un subtil parfum...

Comme une légère odeur de poisson.

© Gilles Roux

## Denise Trudel

Denise Trudel a toujours soutenu une activité scénique régulière, variée et de grande qualité, privilégiant la musique de chambre et le solo. Son jeu puissant, sensible et imagé sait émouvoir des publics de tous âges.

Professeure au Conservatoire de musique du Québec à Trois-Rivières depuis plus de vingt-cinq ans, elle a développé une grande expertise du matériel pianistique et pédagogique et a su concevoir des méthodes d'apprentissage généreuses et inventives.

Après avoir produit deux disques originaux, *Scènes d'enfance* et *Scènes de forêts*, à partir des œuvres de Schumann du même titre, elle crée aujourd'hui ce nouveau concept de conte musical construit sur des œuvres de grands compositeurs écrites pour de jeunes pianistes en herbe.

© Jean-François Garneau

## Mathieu Boutin

Alors qu'il était encore tout petit, Mathieu Boutin est entré au conservatoire pour y apprendre le violon. Quand il en est sorti, dix ans plus tard, il est allé à l'université pour devenir avocat. Depuis, il a publié trois romans jeunesse et ce premier conte musical. Il fait beaucoup de choses, mais se décrit comme un paresseux. C'est une espèce d'*aviolonocatiste* ou d'*écrivanododo*. Ou un mélange des deux. Personne ne le sait vraiment.

## Paule Trudel Bellemare

Paule Trudel Bellemare est originaire de Trois-Rivières et diplômée du Cégep du Vieux-Montréal en dessins d'animation. Elle travaille régulièrement comme illustratrice et graphiste. Depuis 2006, elle est représentée aux États-Unis par la firme Shannon Associates qui œuvre dans les domaines de l'éducation, de la publicité et des éditoriaux.

## Pascale Montpetit

Pascale Montpetit est née à Montréal. Petite, elle aurait bien voulu entrer dans le livre de la poupée Fanfreluche, où celle-ci puisait les contes qu'elle racontait aux enfants pendant l'émission *La boîte à surprises*, de Radio-Canada. Faute d'avoir pu le faire, Pascale est devenue comédienne. Elle fait du théâtre et de la télévision depuis vingt ans. Vous l'avez peut-être vue en Mirabella, à bord du *Ramano Fafard* de *Dans une galaxie près de chez vous*. Quand elle ne travaille pas, elle raffole de la lecture, du jardinage et de son amoureux Mathieu, celui qui a écrit le conte *Pierre et le pialeino...*

© Marlène Gélineau-Payette

## Cora Lebuis

Détentrice d'un baccalauréat en théâtre et d'une maîtrise en interprétation théâtrale, Cora Lebuis s'est notamment « attaquée » aux personnages de grands auteurs du répertoire théâtral mondial, tels que Shakespeare et Tchekhov. Elle a eu la chance de travailler au Shakespearean Theater of Maine. Ces dernières années, elle a joué principalement pour le théâtre jeunesse. Avec la troupe l'Arsenal à musique et le spectacle multimédia *Alice*, elle a parcouru le Québec, l'Ontario, la Colombie-Britannique et l'Italie, en interprétant ainsi ce spectacle en français, en anglais et en italien.

Achevé d'imprimer
en août 2007 sur les presses de
Transcontinental Métrolitho

*Imprimé au Canada — Printed in Canada*